Domitille de Presse



# émilie
## au marché

Mise en couleurs: Guimauv'

émilie,
tu viens au marché
acheter le dessert ?

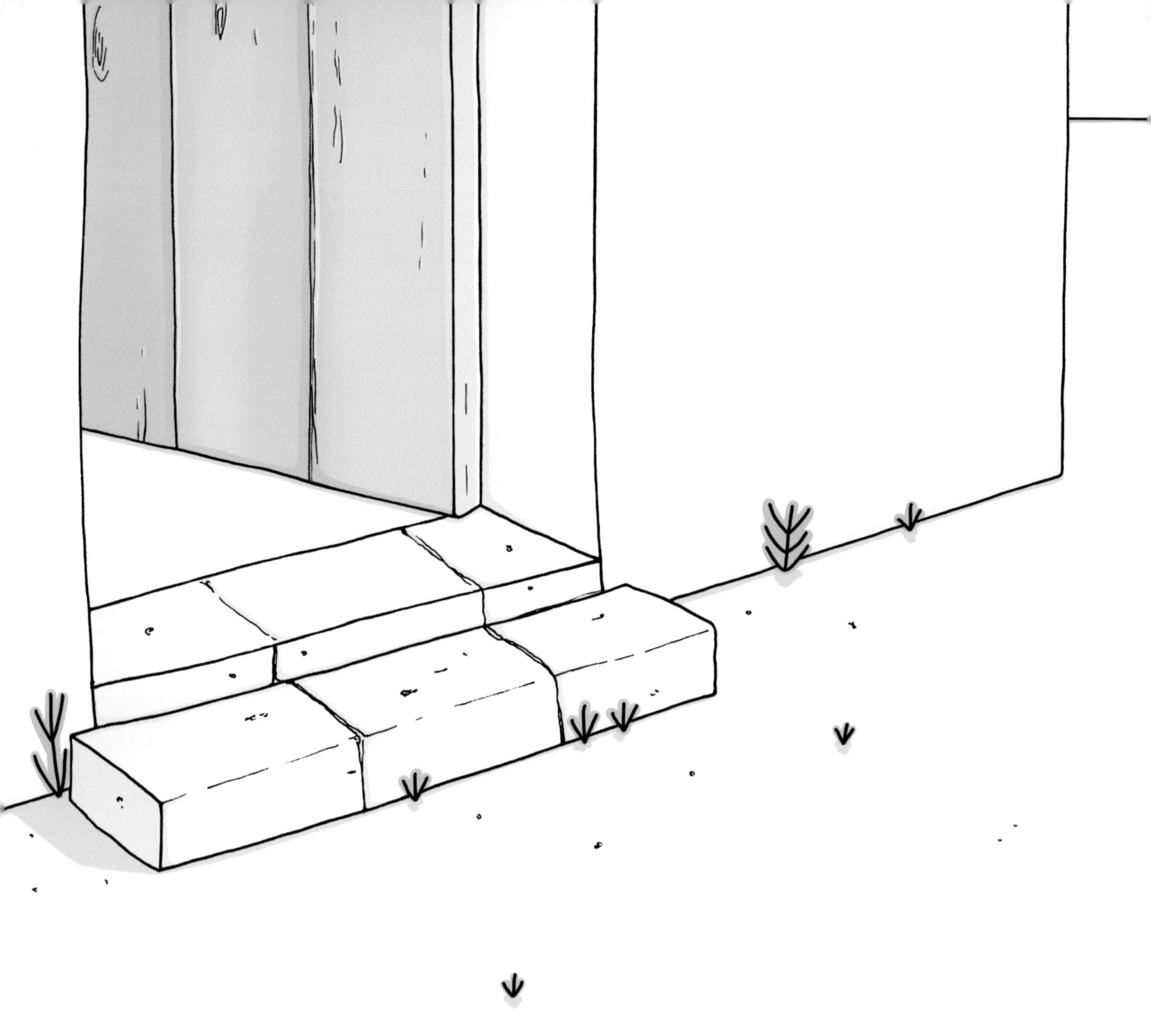

aujourd'hui, jour du marché,

on a mis nos beaux souliers.

on a pris notre p'tit panier...

et puis, on s'en est allés,
sur la route du marché...

et nous voilà arrivés !
mmh, ça sent bon
les épices...

tu as vu, stéphane,
il y a plein de fruits ici !

et là, émilie, regarde
tous ces légumes !

oh ! la dame
nous a donné
des tomates cerises.

mais... c'est quoi
ces drôles de nez ?

ce sont des courges.
je t'en offre une !
dit le marchand.

avec ce **grand** nez,

je trouve qu'on sent bien mieux les odeurs.

là, ça sent le poisson !

c'est normal, émilie !

ici, ça sent le fromage !
tu devrais essayer,
stéphane.

pas besoin de grand
nez ! je le sens bien.

et là, avec l'odeur
des fleurs, c'est
comme dans un jardin.

allez émilie, on va
chercher le dessert ?

oh ! des poussins !

comme
ils sont mignons !

j’en voudrais
tellement un…

lequel choisir ?

celui-ci ?

celui-là ?

pff, c'est difficile !

et puis c'est un peu triste de les séparer...

dis, stéphane, si à la place du dessert,

on achetait tous les poussins ?

d'accord, tu les mets
dans le panier,

je paye la dame
et on s'en va.

et qu'est-ce qu'on va dire à maman ?...

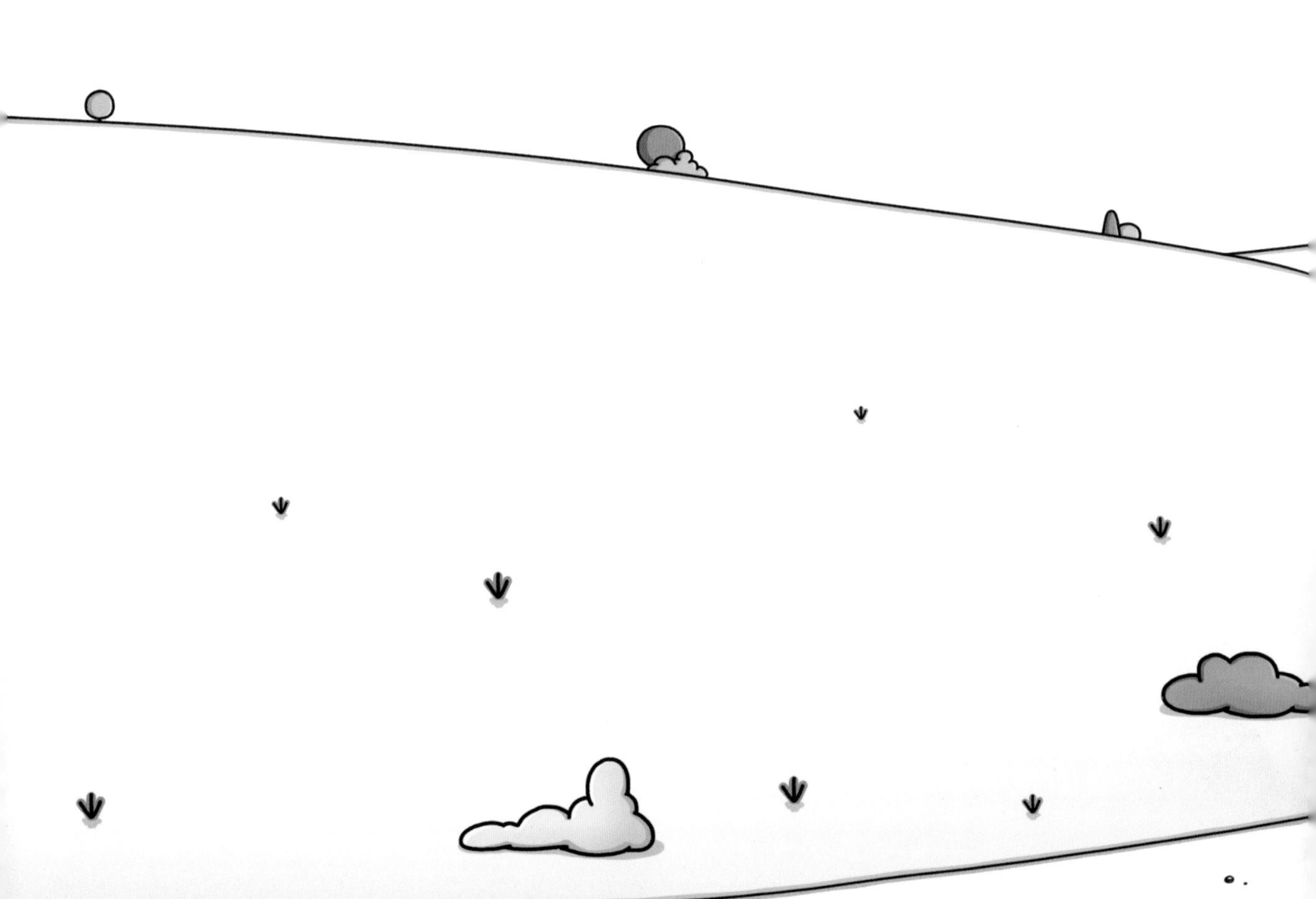

euh... qu'on a choisi des poussins parce que c'est bien mieux qu'un dessert !

Mise en page : Guimauv'
www.casterman.com


ISBN 978-2-203-04819-5
N° d'édition : L.10EJDN001033.N001
Achevé d'imprimer en juin 2012, en Italie
Dépôt légal : août 2012 ; D.2012/0053/359
Déposé au ministère de la Justice, Paris (loi n° 49.956 du 16 juillet 1949 sur les publications destinées à la jeunesse).